Georges

le petit curieux

Pagaille à la gare !

MARGRET & H.A.REY

Illustrations de Martha Weston d'après H. A. Rey

NATHAN

Traduit de l'anglais par Alice Marchand.

Conforme à la loi n° 49.956 du 16 juillet 1949
sur les publications destinées à la jeunesse.
© Nathan / VUEF, 2003

Publié en langue anglaise sous le titre Curious George takes a train.
Based on the character of Curious George®, created by Margret and H. A. Rey.
The character Curious George, including without limitation the character's name in french
and english and any variations, translations or local versions thereof and the character's
likenesses, are trademarks of Houghton Mifflin Company.
Copyright © 2002 by Houghton Mifflin Company
Published by special arrangement with Houghton Mifflin Company

Dépôt légal : avril 2003
ISBN : 2-09-250161-5
N° d'éditeur : 100 956 58

Ça, c'est Georges.

Comme tous les petits singes, Georges est curieux...
parfois même un peu trop ! Ce matin, Georges
et l'homme au chapeau jaune vont à la gare.

Ils partent à la campagne avec leur amie, Mme Tricot.
Mais ils doivent d'abord acheter leurs billets.

Dans une gare, tout le monde est toujours très pressé. Les gens se dépêchent d'acheter des journaux ou des bonbons, puis ils courent prendre leur train.

Mais ce petit garçon avec une petite locomotive toute neuve sous le bras, il n'est pas pressé, lui. Et les gens qui l'entourent non plus. Ils regardent tous en l'air.

Qu'est-ce qu'ils peuvent bien regarder ?

Georges lève les yeux.

VILLEVIEIL	6:30
LAUTREVILLE	7:00
NEUVILLE	7:15
GRAMMONT	7:45
GRANVILLE	8:00
BONNEVILLE	8:02
LAVILLE	8:45
AUTREVILLE	9:10

GRAMMONT	6:15	2
LLEVIEIL	7:25	7
LAVAL	7:50	6
MIN	8:08	3
VIEIL	8:15	5
LAVILLE	8:40	2
RUVILLE	9:25	1
DAUVILLE	9:55	8

Le chef de gare déplace des chiffres et des lettres sur un grand panneau. Soudain, un employé l'appelle. Le chef de gare s'en va, mais son travail n'a pas l'air terminé.

Georges pourrait peut-être l'aider ?

En un éclair,

Georges grimpe sur le panneau...

... et, comme le chef de gare, il décroche
une lettre pour la placer ailleurs.

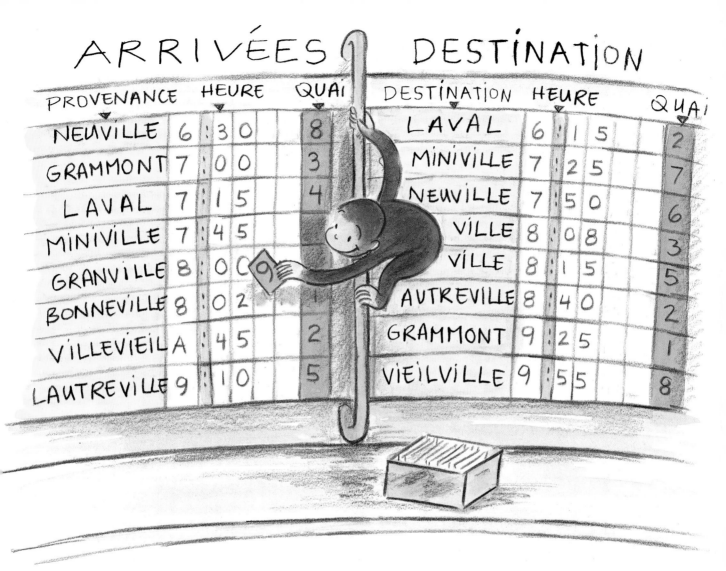

Ensuite, Georges prend le chiffre 9 et le pose à côté d'un 2.
Et il déplace encore d'autres lettres, puis d'autres chiffres.
Il est si content de pouvoir rendre service !

– Hé ! crie un monsieur,
je ne comprends pas à quelle heure
part mon train !
– Et le mien, il est sur quel quai ?
demande quelqu'un d'autre.
– Mais qu'est-ce qu'il fabrique là-haut,
ce singe ? grogne une dame.
Elle a l'air fâchée.

NEL VILLE	6 : 3	0	
GRA MMONT	7 : 8	0	
LA VAL	5 : 5	1	
MIN VILLE	:	5	7
GRA NVILLE	0 : 0	5	
BON NEVILLE	8 : 9	2	
VIL EVIEIL	: 4	5	
LAU REVILLE	5 : 1		

LAVAL	6	:	0				2
MINIVILLE	7	:		5	0		
UVILLE	7	:	8				
GA	8				6		3
			5			1	
A VILLE			8				2
MMONT	9	25					1
VILLEVIEIL				5		9	8

Le chef de gare revient.
Il n'a pas l'air content non plus :

– Descends de là
tout de suite !
hurle-t-il à Georges.

Pauvre Georges ! Les petits singes font souvent des bêtises sans le faire exprès !
Mais heureusement, ils sont très malins.

À ce moment-là, un contrôleur crie :
– Le train pour Lautreville va partir !
Les gens se précipitent vers le quai.
Georges, lui, glisse jusqu'en bas de
l'échelle sans se faire remarquer...

Il enjambe une valise et se faufile parmi la foule. Sur le quai, il trouve une cachette,
une cachette idéale pour un singe.

Soudain, le petit garçon à la locomotive
arrive en courant sur le quai.
– Regarde, papa, crie-t-il, un train !
Son père le rappelle :
– Reviens ! Ce n'est pas le nôtre !

15

Trop tard.

La barrière se referme
derrière le petit garçon...
... qui se met à pleurer.

Georges jette un coup
d'œil hors de sa cachette.

16

Oh !
Le jouet du garçon
roule vers les rails !

Et le petit garçon
se met à courir après.

Cette fois, Georges sait qu'il peut se rendre utile.
Il sort de sa cachette et court à toute vitesse.
Georges rattrape le jouet juste avant qu'il ne tombe sur la voie.

Ouf ! Il était temps !

Quand le chef de gare ouvre la barrière,
le papa du garçon se précipite vers son fils.
Le petit garçon ne pleure plus maintenant.

Il joue avec Georges,
son nouvel ami.

– Te voilà, toi ! dit le chef de gare en apercevant Georges.
Tu as semé une sacrée pagaille sur le panneau d'affichage !
– Ne le grondez pas, s'il vous plaît, dit le père du petit garçon.
Il a sauvé mon fils.
Les autres voyageurs, qui ont tout vu, sont d'accord.
Et ils se mettent tous à applaudir.

Georges est un héros !

À cet instant, l'homme au chapeau jaune arrive avec Mme Tricot.
– C'est l'heure d'y aller, Georges, dit-il. Voici notre train.

– Nous prenons le même, dit le papa du petit garçon.
Son fils est tout content.
– Est-ce que Georges peut voyager avec nous ? demande-t-il.

Tout le monde est d'accord, bien sûr.
Le chef de gare demande au contrôleur
de trouver une place spécialement pour eux.

Et le contrôleur les installe...

... tout à l'avant, dans la locomotive !